Am FUAMHAIRE Spaideil

A' Bheurla **Julia Donaldson**

A' Ghàidhlig **Tormod Caimbeul**

Na Dealbhan **Axel Scheffler**

LEABHRAICHEAN CHLOINNE MACMILLAN

'S e fuamhaire a bha ann an Seòras, biast de dhuine, 's cha robh anns a' bhaile cho piullach ris. Bhiodh slapagan, aosta agus ruadh, a' slapadaich mu chasan; agus an aon ghùn, aosta agus làn bhrèidean, an-còmhnaidh mu dhruim.

'B' fheàrr leam nach robh mi cho buileach piullach,' arsa Seòras ris fhèin gu brònach.

Aon latha chunnaic Seòras bùth a bha air fosgladh às ùr.

Chunnaic e gun robh aodach ùr innte, aodach spaideil.

Agus cheannaich e ...

lèine gheal phutanach

agus briogais mhòilisgin,

crios bucallach leathair,

taidh shrianagach,

stocainnean daoimein grinn

agus paidhir bhrògan
barrallach bruisichte.

"'S mi a-nis am fuamhaire as spaideil sa bhaile," ars esan le moit.

Dh'fhàg Seòras na seann phiullagan anns a' bhùth. 'S bha e dìreach a' dèanamh air an taigh nuair a chual' e fuaim.

Cò bha sin air a' chabhsair, a' spludraigeadh 's a' sùghadh a shròin, ach sioraf. "Dè tha a' cur ortsa?" dh'fhaighnich Seòras.

"M' amhaich," ars an sioraf gu tùrsach. "Seall cho fada 's a tha i.
Fada agus fuar. B' fheàrr leam na rud sam bith gun robh stoc agam!"

"Fuirich thus' ort, ge-tà," arsa Seòras. Agus thug e dheth an taidh shrianagach. "Cha robh i a' freagairt air na stocainnean co-dhiù." Agus shuain e i ceithir uairean gun a dhol iomall timcheall amhaich an t-sioraif. Abair stoc.

"Ceud taing," ars an sioraf.

Air an t-slighe dhachaigh, sheinn Seòras òran le sunnd:

"Rinn an taidh agam stoc
Dha sioraf fuar, bochd,
Seall, ge-tà, orms', a charaid –
Chan eil cho spaideil anns a' bhaile!"

Thàinig Seòras gu bruaich aibhne. Cò bha sin, ann am bàta, ach gobhar feusagach. 'S gu dearbh bha othail air a' ghobhar, a' mialaich àird a chinn. "Dè tha ceàrr?" dh'fhaighnich Seòras.

"An seòl agam," ars an gobhar.

"Dh'fhalbh e leis a' ghaoith
's cha do thill.

"Ò, b' fheàrr leam na rud sam bith gun robh seòl math làidir agam!"

"Na can an còrr," arsa Seòras, agus thug e dheth lèine gheal nam putanan.

"Bha i rudeigin trom mu mo bhroinn co-dhiù," ars esan.

Agus cheangail e i ris a' chrann air bàta a' ghobhair.

"Tapadh leatsa, a dhuine chòir," ars an gobhar, maraiche nan sruth 's nan lòn.

Ghabh Seòras an rathad mòr a' seinn òran dha fhèin:

"Rinn an taidh agam stoc dhan t-sioraf fhuar bhochd,
Rinn mo lèine gheal seòl dha gobhar nan lòn,
Ach thoir sùil orms', a charaid —
Chan eil sa bhaile seo cho spaideil!"

Thàinig Seòras an uair sin gu làrach taigh beag
bìodach. Ri taobh an taighe bha luch gheal,
ghobach a' caoineadh agus sgràl de luchagan
beaga glas mun cuairt oirre. Bìogail, an tuirt thu?!
"Dè dh'èirich dhuibh?" dh'fhaighnich Seòras.

"Seall air an taigh againn!"
ars an luch mhòr agus i
a' sgiamhail.

"Chaidh e na theine agus a-nis
chan eil àite againn sam fuirich sinn.

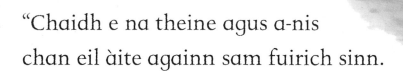

"B' fheàrr leam gun robh taigh
seasgair againn, taigh snog!"

"Ò, feuch an ist thu," arsa Seòras, agus e a' tarraing dheth tè
dhe na brògan.

"Bha i trom air na còrns, a' bhròg seo," ars esan. Ach abair gun
do rinn i taigh math dha na luchainn; cha b' urrainn na b' fheàrr.

"Mìle, mìle taing," na luchainn le toileachas a' bìogail.

Lean Seòras air dhachaigh, a' falbh air leth-chois a-nis.
Cha do chuir sin suas no sìos e agus e ri seinn:

"Rinn an taidh agam stoc dhan t-sioraf fhuar bhochd,
Rinn mo lèine gheal seòl dha gobhar nan lòn,
Rinn mo bhròg mhòr taigh dha na luchagan beag' –
Ach tha mi fhathast nas spaideil na duin' eile sa bhaile!"

Greis às dèidh sin fhuair Seòras e
fhèin aig campa nan teantaichean.
Agus dè bha sin ri taobh teanta
ach madadh-ruadh a' rànail.
"Dè thachair dhutsa?"
dh'fhaighnich Seòras.

"Mo phoca-cadail,"
thuirt am madadh.

"Thuit e dhan lòn orm!

"'S chan iarrainn an còrr an-dràst'
ach poca blàth san dèanainn cadal!"

"Dèan air do shocair, a bhodaich," arsa Seòras, a' toirt dheth tè dhe
na stocainnean grinn daoimein.

"Bha i ga mo dhiogladh, a Sheoc," ars esan ris a' mhadadh-ruadh.

'S chaidh am madadh-ruadh na broinn, aodann làn aoibhneis.

"Mo bheannachd agad," ars esan ri Seòras.

Chùm Seòras air a' leumadaich air
leth-chois, gu cridheil a' seinn:

"Rinn an taidh agam stoc dhan t-sioraf fhuar
bhochd,
Rinn mo lèine gheal seòl dha gobhar nan lòn,
Rinn mo bhròg mhòr taigh dha na luchagan
beag',
Rinn mo stocainn dhan a' mhadadh
poca blàth sam faigh e cadal –
'S tha mise fhathast mar a bha,
Fada nas spaideil na tha càch!"

Dè thachair an uair sin?

Thachair gun tàinig e gu cùis-uabhais de bhoglach.

'S cò a bh' aig an lèig sin ach cù beag ruadh agus e ri donnalaich le guth àrd.

"Dè, a bhròinein, a tha ceàrr?" dh'fhaighnich Seòras.

"A' bhoglach na croich seo!"
ars an cù ruadh.

"Dh'fheuch mi tarsainn agus
chaidh mi sìos dhan a' pholl.

"B' fheàrr leam gun robh
staran ann air am
faighinn a-null!"

"Stad thus' ort, ille chnapaich," arsa Seòras agus e ri fosgladh a' chrios bhucallaich, ùir leathair. "Bha e eagalach trom mu mo bhrù, ùr 's gu bheil e," arsa Seòras. Thilg e an crios tarsainn uachdar na boglaich 's rinn sin staran cho math 's a dh'iarradh cù no cat.

"Ia-bù!" ars an cù, a' dol gu sgiobalta a-null.

Às dèidh sin thòisich a' ghaoth tuath a' sèideadh. Ach cha do chuir sin Seòras a-null no a-nall. Lean e air adhart air leth-chois gu ceòlmhor a' seinn a rann:

"Rinn an taidh agam stoc dhan t-sioraf fhuar bhochd,
Rinn mo lèine gheal seòl dha gobhar nan lòn,
Rinn mo bhròg mhòr taigh dha na luchagan beag',
Rinn mo stocainn dhan a' mhadadh
Poca blàth sam faigh e cadal,
'S rinn mo chrios ùr bucallach
Staran thar na boglaich ud.
Ach …

"THA MO BHRIOGAIS MHÒILISGIN A' TUITEAM MU MO CHASAN –
's leis a' ghaoith a tuath seo
tha mi air mo ragadh!"

Agus gun dùil ris dh'fhairich Seòras an uair sin cho fuar, truagh, aonranach.

Sheas e air leth-chois agus smaoinich e:

'Feumaidh mi tilleadh chun na bùtha ud agus aodach ùr a cheannach.'

'S le sin thionndaidh e, agus a-mach leis air ais chun na bùtha.

Ach bha a' bhùth DÙINTE!

"Riabhach!" arsa Seòras. Shuidh e air leac an dorais agus lìon a shùilean le deòir. Bha e a-nis cho truagh ri na creutairean a choinnich ris air a shlighe dhachaigh.

Co-dhiù, cha do mhair sin fada.

Dè a chunnaic e ri thaobh ach baga buidhe agus rudan na bheul air an robh e glè eòlach. Sheas e agus tharraing e a-mach iad ...

"Mo ghùn!" dh'èigh Seòras. "Mo ghùn bòidheach, làn bhrèidean.
Agus na slapagan agam." Chuir e uime iad agus bha iad cho blàth,
cofhurtail agus a bha iad a-riamh. Dìreach mìorbhaileach.

"Chan eil anns a' bhaile," ars esan,
"Leis an fhìrinn inns',
Cho socair, blàth riumsa
Is mi nam aodach fhìn."

'S le ceum sunndach
ghabh e a-rithist an
rathad dhachaigh.

Agus – an creideadh tu seo? Nan seasamh aig an doras mhòr bha
na creutairean dhan tug e cuideachadh. 'S bha preusant aca dha.
"Siuthad, a Sheòrais," ars iadsan. "Fosgail e."
Thug Seòras an ribean dheth agus dh'fhosgail e am bucas.
Na bhroinn bha crùn òr-bhuidhe air a dhèanamh gu
h-ealanta le pàipear. Agus bha cairt ann cuideachd.
"Leugh a' chairt," thuirt na beathaichean.
Chuir Seòras an crùn air a cheann. Dh'fhosgail e a' chairt

agus leugh e:

Thug thu do stoc
Dhan t-sìoraf fhuar bhochd.
Do lèine 'son seòl
Dha gobhar nan lòn.
Do bhròg, rinn i taigh
Dha na luchagan beag'.
Do stocainn chruinn dhaoimein
Dha madadh na h-oidhche.
'S do chrios ùr bucallach,
Thug e 'n cù thar na
boglaich ud.
Seo dhuts' a-nis crùn
A bhios ort le do ghùn,
'S gu dearbh bidh tu spaideil
an-còmhnaidh.
'S bidh fios aig a' bhaile
Nach fhacas air thalamh
Fear cho còir 's cho fialaidh
ri Seòras.

Dha Lola – J.D.

A' chiad fhoillseachadh an 2002 le
Leabhraichean Chloinne MacMillan
Earrann de Fhoillsichearan MacMillan Earranta
20 New Wharf Road, Lunnainn N1 9RR
Basingstoke agus Oxford

© an teacsa Bheurla Julia Donaldson
© nan dealbhan Axel Scheffler
Tha iad seo a' dleasadh chòraichean mhoralta.

An tionndadh Gàidhlig Tormod Caimbeul
© an tionndaidh Ghàidhlig Acair 2008
An dealbhachadh sa Ghàidhlig Joan Macrae-Smith

ISBN/LAGE 9780861523900 (13) 0861523903 (10)

3 5 7 9 8 6 4 2

Chuidich Comhairle nan Leabhraichean am foillsichear
le cosgaisean an leabhair seo.

Tha Acair a' faighinn taic bho Bhòrd na Gàidhlig.